Le tournoi de Tristelande

Pour Geoffrey.
D. Dufresne

Pour Manu, un chevalier, un vrai !
D. Balicevic

Les mots du texte suivis du signe * sont expliqués sur le rabat de couverture.

www.editions.flammarion.com

87, quai Panhard-et-Levassor – 75647 Paris Cedex 13
Dépôt légal : septembre 2008 – ISBN : 978-2-0812-0742-4
N° d'édition : L. 01EJEN000174.C004
Loi n°49-956 du 16 juillet 1949 sur les publications destinées à la jeunesse

Didier Dufresne

Didier Balicevic

Le tournoi de Tristelande

Chapitre 1

Catastrophe à Malecombe !

Dans la forêt de Sautegrenouille, au cœur de la province de Tristelande, se dresse le château de Malecombe. C'est là que vit le comte Aldebert de la Bretelle-Demonsac.

De toute la région, c'est le plus pauvre des seigneurs. Son château n'a qu'une tour, les murailles tombent en ruine et le donjon est le paradis des courants d'air. Chez lui, on ne mange jamais dans de la vaisselle d'argent, et il n'y a de la viande que le dimanche. L'hiver, on économise le bois et on se réveille le matin avec le bout du nez rouge.

Pourtant, le comte est toujours de bonne humeur.

– J'ai la plus douce des femmes, deux beaux enfants et des paysans fidèles, se plaît-il à répéter. Que demander de plus ?

Il est vrai que dame Isolde est une compagne charmante, Guillaume un garçon plein de malice, et sa sœur Flora le portrait tout craché de sa mère.

Armé de son épée de bois, Guillaume poursuit sa sœur Flora en criant :
– Taïaut ! Taïaut ! Gare à Petit-Chevalier-Noir !

Flora se sauve en riant :
– Attrape-moi si tu peux, grand nigaud !

Elle traverse la basse-cour, faisant piailler les canards et siffler les oies…

– À table, les enfants ! appelle dame Isolde.

Aussitôt, voilà que Petit-Chevalier-Noir redevient Guillaume l'affamé et que Flora sort de sa cachette.

Dans la grande salle, la soupe de raves fume dans les écuelles. Soudain, un bruit étrange retentit. On dirait un roulement de tambour. Guillaume se précipite à la fenêtre. Dehors, le ciel est tout noir et des grêlons rebondissent sur les toits.

– Un orage ! s'écrie-t-il.

Messire Aldebert se lève de son siège.

– Malédiction, les récoltes ! peste-t-il.

L'orage n'a duré que quelques minutes. Dans la cour les grêlons peinent à fondre. Les poules, les canards et les oies sortent timidement du poulailler et donnent du bec sur ces étranges billes.

Un paysan arrive en courant.

– Messire ! C'est une catastrophe ! se lamente-t-il. Les champs de seigle sont dévastés, la récolte est perdue ! Malheur à nous si la famine nous prend…

Messire Aldebert réunit toute la famille. Son visage est sombre.

– L'heure est grave, murmure-t-il. Toutes ces bouches à nourrir et rien dans les greniers…

Il se tourne vers Guillaume :

– Mon fils, tu vas partir chez le duc de Tristelande. Il cherche un écuyer. Là-bas, au moins, tu mangeras à ta faim.

– Mais père… bredouille Guillaume. Et vous, qu'allez-vous devenir ?

– Ne t'inquiète pas, répond le comte. Nous nous débrouillerons.

La famine menace à Malecombe. Guillaume doit partir travailler chez le duc de Tristelande.

Chapitre 2

Le terrible duc Gontran

C'est la première fois que Guillaume quitte seul le château. La forêt de Sautegrenouille résonne de bruits inquiétants, aussi chante-t-il pour se donner du courage.

Bientôt, Guillaume arrive en vue du château de Tristelande : quatre tours ventrues, des murailles gigantesques et un donjon qui monte jusqu'aux nuages... Il s'avance jusqu'au pont-levis.

– Qui es-tu, manant ? gronde le garde.
– Je suis Guillaume de la Bretelle-Demonsac et je viens voir le duc.

– Haha ! ricane le garde. Guillaume de la Bouteille-Demacave ! Mon maître ne fera qu'une bouchée d'un gredin comme toi !

Guillaume aurait bien envie de filer d'ici à toutes jambes, mais il réplique d'un ton décidé :

– Laisse-moi passer !

Le garde hausse les épaules :

– Tu l'auras voulu…

Guillaume entre alors dans la cour du château.

– Nom d'une oubliette ! s'écrie-t-il.

Jamais il n'a vu autant de chevaux, de domestiques, de sacs de grains et de charrettes de foin. Et, partout, une bonne odeur de cuisine et de pain frais !

– Ce doit être par là, se dit-il.

Guillaume s'engage dans un escalier en colimaçon. Arrivé dans une grande salle, il ne peut retenir un sursaut d'effroi. Avachi sur un trône, le duc Gontran de Tristelande le dévisage, une cuisse de poulet à la main.

Guillaume s'incline timidement et murmure :

– Je suis Guillaume de la Bretelle-Demonsac. Mon père m'envoie chez vous pour devenir écuyer.

La bouche graisseuse du duc se tord :

– Le fils d'Aldebert, mon misérable voisin ! se moque-t-il. Il paraît que la grêle a fait des dégâts par chez vous. On danse là-bas autour des buffets vides, haha !

Il tape dans ses mains et un serviteur entre.
– Conduis donc ce coquin aux écuries, grogne le duc. Demain à l'aube, nous le mettrons au travail.

Le serviteur accompagne Guillaume aux écuries.
– Je m'appelle Grégoire, lui dit-il. Voilà du pain et une cruche d'eau. Installe-toi dans la paille pour dormir.

– Ton maître est-il aussi méchant qu'il en a l'air ? demande Guillaume.
– Il l'est plus encore, chuchote Grégoire. Et ne va surtout pas le mettre en colère !

Il sort une pomme de sa poche et la tend à Guillaume en souriant :
– Tiens, petiot. Tu sais, ici, nous ne sommes pas tous comme lui.
– Merci, Grégoire.

Guillaume est installé au château de Tristelande. Dès l'aube, il doit commencer à travailler pour le duc.

Chapitre 3

Ce vaurien d'Adhémar !

– Lève-toi, petiot, murmure Grégoire.

Guillaume ouvre les yeux.

– Mais il fait encore nuit, grogne-t-il.

Grégoire lui tend du pain sec et un bout de fromage.

– Mange ça et prends des forces, dit-il. Ici, le travail est dur.

Alors que le soleil pointe à peine à l'horizon, Guillaume commence sa première journée à Tristelande. Il brosse les chevaux, change leur litière, les nourrit et leur donne à boire. Puis il astique l'armure du duc, balaie la cour, va chercher de l'eau et donne du grain aux volailles. Ensuite il coupe du bois, désherbe le potager et nourrit les cochons...

Quand midi sonne, Guillaume s'effondre sur une botte de paille, épuisé.

– Tu es courageux, petiot, lui dit Grégoire. Mais lève-toi vite, voilà Adhémar, le fils du duc, un vaurien.

– Qu'est-ce que tu complotes encore, vieux brigand ? lance méchamment Adhémar à Grégoire. Va voir ailleurs si j'y suis.

Grégoire s'éloigne et Adhémar se plante devant Guillaume.

Le fils du duc ricane.

– C'est donc toi le gringalet de Malecombe ! Le fameux Guillaume de la Ficelle-Demoncaleçon !

– De la Bretelle-Demonsac, corrige Guillaume, vexé. Je viens apprendre le métier d'écuyer.

– Sais-tu au moins te battre ? gronde Adhémar en tirant son épée de bois.

– J'en ai assommé de plus grands que toi ! ment Guillaume en brandissant la sienne.

Adhémar est grand et fort, mais Guillaume est agile et malin. Quand l'épée d'Adhémar veut lui caresser les côtes, Guillaume l'évite d'un pas de côté. Quand elle veut s'abattre sur son crâne, il saute sur la margelle du puits.

Adhémar fait de grands moulinets en braillant :
– Je vais te transpercer !

Il se précipite, l'épée pointée sur le nombril de Guillaume qui esquive l'attaque. Emporté par son élan, le fils du duc s'étale dans la mare aux canards, sous le regard étonné des cochons. Couvert de boue, il pleurniche :
– Je vais le dire à mon père et il te punira !

Ruisselant, il traverse la cour avant de disparaître dans le donjon.

L'après-midi, Guillaume entasse des sacs de grain. À cinq heures, il voit le duc s'avancer vers lui.

– Tu as attaqué mon fils, gronde-t-il. Tu mérites une punition : cette nuit, tu resteras près des douves* pour empêcher les grenouilles de coasser.

– Ha ha ! ricane Adhémar. Tu fais moins le fier, de la Rondelle-Desaucisson !

À la nuit tombée, armé d'une grande perche, Guillaume se retrouve au bord des douves.

– Cet Adhémar est une fripouille ! pense-t-il en tapant dans l'eau pour faire taire les grenouilles. Mais je me vengerai…

Guillaume a été puni pour avoir ridiculisé Adhémar. Il attend le moment propice pour se venger.

Chapitre 4

Que le tournoi commence !

Les semaines passent à Tristelande. Guillaume pense à sa famille et travaille sans arrêt sous les regards moqueurs d'Adhémar qui passe ses journées à le tourmenter.

– Allez ! Plus vite que ça, de la Semelle-Demonchausson ! raille-t-il.
– Tu ne perds rien pour attendre ! marmonne Guillaume entre ses dents.

En plus des corvées habituelles, Guillaume apprend le métier d'écuyer : seller et harnacher* un cheval, nettoyer les armes, monter et démonter une armure...
– Comment fait-on pour devenir chevalier ? demande-t-il un jour à Grégoire.
– Il faut monter à cheval, savoir se battre et jurer de protéger les faibles.
– Apprends-moi ! supplie Guillaume.
– D'accord, dit Grégoire. Mais il faudra que le duc n'en sache rien...

En cachette, Guillaume s'entraîne à monter à cheval et à manier la lance.

Un jour, on annonce un tournoi au château. Pour Guillaume, c'est du travail en plus. Il doit aider à faucher le pré, planter les lices*, construire les tribunes...

De son côté, Adhémar se pavane. Le duc lui a offert une armure sur mesure, et il ne cesse de s'admirer. Pour la première fois, il va participer au tournoi des jeunes écuyers.

– Tu crois que je pourrai combattre moi aussi ? demande Guillaume à Grégoire.

– Mon pauvre petiot ! Comment ferais-tu, sans cheval et sans armes ?

Au matin du tournoi, les chevaliers arrivent de toute la province et leurs oriflammes* claquent au vent.

Le comte est lui aussi venu, avec dame Isolde et Flora. Mais il sera seulement spectateur. Il n'est pas assez riche pour posséder une armure.

– Papa, maman, Flora, vous êtes là ! s'écrie Guillaume en se jetant dans leurs bras. Comme je suis content de vous voir !
– Alors, demande le comte. Comment va mon fils ?
– Je vais bien, mais la vie est dure, ici. D'ailleurs, je dois aller aider Grégoire.

Sur le terrain, les chevaux piaffent d'impatience.

Le tournoi commence.

Les chevaliers s'affrontent. Leurs chevaux hennissent et galopent en soulevant des nuages de poussière, leurs lances s'entrechoquent, les spectateurs hurlent quand un chevalier roule au sol...

Puis vient le tour des jeunes écuyers.
– Une récompense de cent écus sera remise au vainqueur, annonce le duc.

Adhémar s'approche de Guillaume et ordonne :
– Prépare mon cheval, de la Chapelle-Demonparc ! Je vais les massacrer tous !

Guillaume serre les poings :
– Ah si j'avais un cheval et une lance ! pense-t-il. Tu verrais comment je te ferais mordre la poussière, Adhémar de Tristandouille !

Guillaume aimerait bien participer au tournoi pour donner une bonne leçon à Adhémar. Hélas, il n'a ni cheval ni lance.

Chapitre 5

Gare à Petit-Chevalier-Noir !

– Ce fainéant d'Adhémar ne s'entraîne jamais, ricane Guillaume, lorsque les écuyers s'élancent. Il va se faire tailler en pièces.
Mais celui-ci a une chance incroyable !

Le fils du duc monte à cheval comme une savate, tient sa lance comme une canne à pêche... Pourtant il réussit à désarçonner ses adversaires les uns après les autres !

– Ce benêt est capable de remporter le tournoi des écuyers ! grogne Guillaume.

Il s'éloigne en traînant des pieds.

Au milieu du pré, Adhémar galope en poussant des cris de victoire. Tous ses adversaires sont à terre.

– Je suis le meilleur ! hurle-t-il. À moi la récompense !

Soudain, un cavalier arrive au galop.
– Je suis Petit-Chevalier-Noir ! s'écrie-t-il en brandissant sa lance. Je viens défier votre champion.
– Hahaha ! se moque le duc. Tu n'as aucune chance face à mon Adhémar !

Adhémar et Petit-Chevalier-Noir se font face. La foule se tait…
– Yaaaa ! hurle Adhémar.
– Yaaaa ! répond son adversaire.

Les chevaux partent au galop.

Au premier passage, Adhémar donne un coup de lance sur le bouclier de Petit-Chevalier-Noir qui vacille.
– Ooooh ! s'exclame la foule.

Au second passage, Petit-Chevalier-Noir évite le coup, mais il perd l'équilibre et tombe dans la poussière. Il se remet debout et dégaine son épée de bois.

– Alors, mauviette ! ricane Adhémar en sautant à terre. Tu en veux encore ?

Au combat à l'épée, Adhémar ne peut parvenir à toucher son adversaire qui virevolte comme un diable.

Fou de rage, il fonce sur lui… et se retrouve à plat ventre dans la mare aux canards.

– On dirait que tu te plais là, Adhémar de Tristandouille ! s'exclame Petit-Chevalier-Noir en posant un pied sur la poitrine du vaincu.

Dans la tribune, la foule applaudit. Le duc est furieux, mais il ne peut le montrer devant ses invités. Alors il tend la bourse à Petit-Chevalier-Noir qui disparaît au galop.

– Adhémar n'a que ce qu'il mérite ! s'exclame Grégoire. N'est-ce pas, Guillaume ? Mais où est-il passé ?

Guillaume arrive alors des écuries.

– Tu as manqué un joli spectacle, lui dit-il. Adhémar n'était pas beau à voir.

– Ne me parle plus de lui, soupire Guillaume. J'ai décidé de rentrer à Malecombe.

– Comme tu voudras, dit Grégoire. Je t'aimais bien, petiot.

– Moi aussi, Grégoire. Mais nous nous reverrons peut-être un jour…

Sur le chemin du retour, Guillaume raconte sa triste vie à Tristelande.

– Plutôt mourir que passer un jour de plus là-bas ! dit-il.

– Mais as-tu pensé à la famine qui nous menace ? soupire son père.

– La famine ? demande Guillaume. Rien que d'en parler, ça me donne faim ! Et si on s'arrêtait à l'auberge de la Pleine Écuelle ?

– Mais qui va payer ? s'inquiète dame Isolde.

– Moi ! s'écrie Guillaume en sortant une bourse de sa poche. Il y a là cent écus. Nous pourrons même acheter des provisions. De quoi attendre la prochaine récolte !

Flora se tourne vers son frère avec un regard plein d'admiration.

– C'était donc toi Petit-Chevalier-Noir ! s'exclame-t-elle.

– Possible, répond Guillaume. Tout ce que je peux vous dire, c'est, qu'en ce moment, un jeune écuyer cherche son cheval et son équipement partout !

❶ L'auteur

Didier Dufresne

« Si j'avais vécu au temps des châteaux forts, j'aurais aimé être Guillaume, rien que pour le plaisir de botter le derrière d'Adhémar. Je monte assez bien à cheval et Grégoire m'aurait appris à me servir d'une lance. Sûr que j'aurais gagné le tournoi moi aussi !
Hélas, c'est devant mon ordinateur du XXIe siècle que je rêve d'aventures. C'est là que je suis chevalier, chef indien ou empereur chinois... Mes personnages sont les héros que je ne suis pas, affrontent des épreuves qui me feraient mourir de peur, gagnent toujours alors que je perds souvent...

Dans mon petit village de Bourgogne, entre jardinage et bricolage, j'invente des histoires pour oublier le temps qui passe. Et quand je m'ennuie, je disparais dans les mondes merveilleux que d'autres ont écrits : je lis... »

❷ L'illustrateur

Didier Balicevic

« J'adore dessiner donjons, créneaux, hourds, échauguettes et oubliettes. J'adore me balader par monts et par vaux, dans les bois humides et moussus, visiter les vieilles églises et les chapelles oubliées.
J'ai fait mes études à Strasbourg, ville de vieilles pierres et de maisons à colombages, alors bien sûr, les aventures médiévales de Guillaume, c'est pain bénit.
Guillaume nous donne l'exemple avec bonne humeur : malin et courageux à la fois, il peut se sortir de tous les mauvais pas ! Mais je suis tout de même bien content de vivre au XXIe siècle et pas au Moyen Âge : on y prend plus de bains, et on n'est plus obligé de dessiner avec une plume ! Pauvre oie ! »

Table des matières

Achevé d'imprimer en février 2010,
chez Pollina (France) - L53407.